KB136808

낯설어서 좋은 날

낯설어서 좋은 날

초판 1쇄 인쇄 2018년 11월 21일
초판 1쇄 발행 2018년 11월 28일

지은이 현봄이(@bombyul)

발행인 장상진
발행처 (주)경향비피
등록번호 제2012-000228호
등록일자 2012년 7월 2일

주소 서울시 영등포구 양평동 2가 37-1번지 동아프라임밸리 507-508호
전화 1644-5613 | **팩스** 02) 304-5613

© 현봄이(@bombyul)

ISBN 978-89-6952-310-5 14980
　　　978-89-6952-311-2 (SET)

· 값은 표지에 있습니다.
· 파본은 구입하신 서점에서 바꿔드립니다.

낯설어서 좋은 날

현봄이
@bombyul

사색
유람

경향BP

———

편지를 참 많이도 쓰던 날들이 있었다. 가벼운 말도 종이 위에 적으면 무게가 실린다. 그렇게 전한 진심은 다 어디로 사라졌을까. 오랜만에 누구에게든 편지를 쓰고 싶다. 손으로 꾹꾹 눌러 담아 전한 내 진심은, 지금 어디쯤에서 서성이고 있을까.

버리고 싶은 일들을 적어서 여행 가방 안에 담는다. 그 종이를
손으로 꽉 구겨서 낯선 방의 휴지통에 던져버린다. 때로는 적
었던 일들을 다시 적어 다음번에 들고 가기도 한다. 버리고 오
는지 주워서 오는지 모를 내 기억들은 지금도 또 차곡차곡 모
여서 어디로든 떠나자고 내 걸음을 재촉한다.

고양이 한 마리가 골목 앞에 서서 나를 보고 있었다.
야옹– 하고 내가 부르자 발길을 돌려 달아나버린다.
그 애가 사라진 자리에는 작은 화분이 나란히 서 있고,
빨간색 바스켓에 물이 가득 담겨 있었다.
따스한 햇살이 빛을 내는 오후였다.

———

나는 시간을 지우기 위해, 이겨내기 위해, 돌이키기 위해 떠난다. 내일의 나에게 묻는다면 또 다른 대답을 할 것이다. 하고 싶은 말을 다 하고 싶어서 여행을 가나 보다. 무슨 말이든 다 쏟아내고 싶어서.

———

당신을 처음 좋아하게 되던 날, 나는 교토에 있었다. 날이 맑은 어느 평일이었다. 햇살이 곱고 바람이 선선했다. 걸음이 가벼웠다. 서울엔 비가 오고 있다고 했다. 화창한 풍경을 곧장 찍어서 보내주었다. 며칠 후 그 비구름이 내가 있는 곳까지 내려왔다. 그 구름이 마치 당신 같아서 아침에 창을 열어보고는 반갑게 웃었다.

등보다 더 밝은 꽃잎이 온 물가를 빛내는 밤이다. 아직은 차가운 바람에 잎이 하나둘 물 위로 떨어진다. 귀를 기울이면 물 흐르는 소리 속에 봄이 오는 소리도 섞여 있다. 하나둘 꽃잎이 수북이 쌓이는 강줄기를 따라 새로운 계절이 성큼 찾아온다.

아침까지 새카만 하늘에는 빛이 전혀 들지 않아 그날은 늦도록 잠에서 깨어나지 못했다. 찌푸린 하늘은 결국 투둑, 투둑하고 빗소리를 냈다. 커피가 느릿느릿 떨어진다. 그걸 들고 창문 앞에 서서 작게 쏟던 한숨. 내가 기억하는 비 오는 아침의 소리.

———

건널목 사이로 열차가 지나갔다. 순간 바람이 일었다. 벚꽃잎
이 비처럼 쏟아진다. 시간이 멈춘 듯이, 이 빗속에서 영원할
것처럼 서 있었다.

인연에 관한 이야기라면 무엇도 쉽게 믿지 않는데, 이 도시에
내가 머무는 것은 아무래도 인연에 가까운 일이다. 그 어떤 끌
림이 나를 오늘 또다시 이 곳에 서 있게 만든 걸까.

사람과 사람 사이의 일에 지칠 때 즈음이었다. 신경질이 나면 곧잘 "아, 나 교토에 다녀올래." 하고 말하곤 했다. 내가 비밀 얘기를 털어놓던 그곳의 강가는 늘 비슷한 속도로 흐르며 기다렸다. 사람 열보다 이 조용한 물소리가 더 위안일 때가 있다.

———

눈이 오는 밤이다. 따뜻한 방 안의 온기가 당신의 창에 물방울
을 만들고, 조용히 두드리다 주르륵 흐르겠지. 몇 번의 물방울
이 흐르는 동안, 당신은 한 번쯤 나를 떠올렸을까.

―――――

눈을 제대로 뜨기도 힘들 정도로 강한 햇살을 마주하곤 인상을 찌푸리며 노트를 열어 몇 글자 메모를 남겼다. 때로는 눈이 부셔 하얀색 종이가 제대로 보이지 않았다. 그럼에도 역시 종이에 닿는 빛이 펜을 잡은 손을 따라 긴 그림자를 만드는 오후를 좋아한다.

밤은 깊어가고, 우리 춥고 심심한데 대화나 나눌까요. 뭘 좋아
하나요. 어떤 음식을 좋아하는지, 어떤 영화를 좋아하는지, 좋
아하는 걸 열 개쯤 말해봐요. 그중 혹시 나는 없을까.

햇살이 따사로운데 종일 여우비가 오는 오후
였다. 걷다가 비를 피하고, 다시 걷고, 해가 슬
쩍 고개를 내밀면 싱겁게 웃었다. 좋아하던 여
우가 시집가던 날, 맘껏 울지도 못하던 구름.

오래 머물지 못하고 지나가는 건 계절만이 아닌.

따뜻한 음악 틀어 놓고, 사과주스 마시고. 닫아 놓은 창문 틈
으로 찬바람이 슬쩍, 무릎 위에 올려놓은 담요 더 가까이 당기
고. 평온한 오후.

음식은 따뜻한 게 좋고
음악은 둥둥거리는 게 좋고
하늘은 맑은 게 좋고
거리는 차분한 게 좋고
사람은 네가 좋아.

전기장판 켜놓은 따뜻한 침대 위에서 좋아하는 책 읽고,
일기장에 잔뜩 적다가 스르륵 잠들고 싶은 밤.

———

안녕, 오래도록 사랑하고 싶은 나의 시간아.

곁에 두고 싶은 나무 한 그루.
물든 잎을 모두 잃고
새로운 싹이 틀 때까지,
그리고 그 잎이 다시 다 단풍이 되어
사라질 때까지. 가까이에서
바라볼 수 있으면 참 좋겠다.

———

라디오에서 나오는 오래된 노래나 남들 사는 얘기 들으면서
걸으면 더 좋은 오후.

창밖의 얇은 달은 서울까지 따라오고, 오늘 하늘은 흐린가 봐. 총총 쏟아질 것 같은 별 하늘 대신 멀리 보이는 불빛들이 어서 오라고 반겨주네. 이 좋은 마무리 앞에서 왜 또 궁금한 건 지금 이 순간 당신의 안부. 내 여행은 아주 많이, 정말 많이 행복했다고 들려주고 싶다. 조잘조잘, 종알종알, 별것도 아닌 얘기에 내가 웃을 때 당신도 함께 따라 웃어줬으면.

———

새 간판이 걸린 일이 어째서 즐거울까.

"있지, 여기에는 원래 소바집이 있었어." 하고 말한다.

거리의 변화를 기억할 수 있는 여행가가 된다는 것.

가끔씩 오늘이 버거울 때,

떠올릴 수 있는 그런 기억들.

———

책 몇 장 들추다가, 대충 몇 장만 슥 읽다가 커피 한잔 마시고,
핸드폰을 만지작만지작, 그러다 바깥으로 나와서 길을 걷고,
좋아하는 골목 앞에서는 잠시 멈춰서고. 그런 여행.

———

'곁'이라는 단어는 어떤 대상의 옆 또는 공간적 심리적으로 가까운 데를 뜻한다. 공간적 · 심리적으로 내 가까이에 두고 싶은 사람이, 어딘가 아직은 내가 없는 세상에서 잘 지내고 있기를 바라는 마음.

나무에 매달린 잎이 낡아지는 걸 그저 오랫동안 바라보는 때,
문득 가을이구나.

———

뭘 좋아하냐고 물어주는 사람이 좋겠다. 그럼 나는
"널 좋아해!" 하고 으ㅎㅎ 웃을 텐데.

지도를 보지 않아도 밥을 먹으러 갈 수 있고, 편의점에 들렀다
가 숙소로 돌아올 수 있는 익숙함이 주는 안도감. 걷다가 마주
친 가장 좋아하는 골목 앞에서, 오랜만에 편안한 얼굴로 말을
건다. '안녕, 보고 싶었어.'

365일이나 되는 날 중에서 어떤 날은 더 이상 기억하고 싶지 않은데 오랫동안 남아 있기도 하고, 또 어떤 날은 오래 간직하고 싶은데 잡을수록 멀어지기도 한다.

———

햇살이 따뜻하다며 미소 지을 수 있는, 그런 계절이라 좋아.

———

내내 좋은 것들을 더 많이 보고 지냈으면 좋겠다.
내가, 당신이, 영영.

좋아하는 날보다 안 좋아하는 날이 더 많을 때도 있지만, 신기하게 시간이 지나면 좋은 것들만 기억이 나. 그러니 지금 이 순간도 온통 좋은 기억으로 남을 것 같은 그런 예감.

여전히 아름답고,

여전히 좋아해.

해가 지면서 하늘은 까만색, 파란색, 주황색, 흰색. 그리고 마중
나온 달도 빼꼼. 도시에서도 불빛이 자기 색을 낸다. 이런 하늘
앞에서 내가 어떻게 행복하다는 말을 하지 않을 수 있을까.

―――――

바라봐줄 눈도, 쓰다듬어줄 손도 없는 일기장에 글씨만
빼곡하게 채운 오늘 같은 날.

하루를 기억하는 단어가 '따뜻하다'일 때, 가장 평온하고
행복한 기분.

———

아침에 골목길에서 마주친 고양이처럼, 이름을 부르면
달아나버릴 것 같은 사람아.

그 계절에 피는 꽃들은 모두 비슷한 모양새를 하고 있었다. 나는 얕게 배운 지식으로 거리에서 꽃들을 만나면 다정하게 이름을 불렀다. 이듬해 봄에 내가 교토에 갔을 때, 벚꽃이 한창이었다. 곧잘 당신에게 보여주던 비슷한 꽃들이 거리에 넘쳤다. 더 이상 보여줄 수 없게 된 꽃들이 제각각 다른 색으로 물들어 반겨주었다.

———

그날의 낡은 역, 세게 부는 바람에 열차는 제 속도를 내지 못
했다. 쏟아지던 비에 "집에 갈 수 있을까?" 하는 대화를 짧게
나누고는, 서로 창밖만 보던 그날.

걷다가, 지금 지나온 길이 예쁠 것 같은 생각이 들어 뒤를 돌아보았다. 빗속을 지나는 사람들의 가벼운 발걸음, 나뭇잎 틈새로 수줍게 숨은 햇살이 바람을 따라 흔들흔들 반갑다고 인사를 건넨다.

이 계절의 한가운데서 당신은
몇 번쯤 날 떠올렸을까.

그 꽃잎을 가까이에서 들여다보았다. 갓 스물쯤 된 어린 아가
씨가 아직 추운 봄날 차려입은 얇은 치마, 혹은 그 옷깃 살랑
이며 조심스럽게 건네는 빼곡히 글씨가 적힌 한 장의 편지.

타인의 목소리가 유난히도 다정하게 느껴질 때가 있다. 카페의 주인은 교반차(京番茶)에 대한 이야기를 들려주었다. 쓰고 향이 강한 이 차는 교토 어디서든 쉽게 볼 수 있는 지역의 대표 차라고 했다. 여자는 뜨개질을 하며 말을 이어나갔다. 창밖으로는 눈이 쏟아졌다. 따뜻한 찻잔을 양 손으로 감싸고 바라보았다.

겨우내 얼어 있던 나뭇가지 틈에서 몽우리 하나가 태어난다.
그 애는 오후의 햇살을 먹고 자라 입을 조금씩 벌리고, 제 속
에 숨겨 놓았던 살을 드러낸다. 여린 이파리가 녹색 잎에 밀려
자리를 잃을 때까지 가까이에서 바라보고 싶었던 네 생의 모
든 것들.

강가에 기억 하나를 두고 돌아섰다. 계절이 채 변하기도 전에 잃어버린 기억을 주워 담고 싶어졌다. 마음이 부리는 변덕에 나는 지금 다시 그 앞에 서 있다.

―――――

아직 해가 한창인 오후 두 시쯤,
하늘을 올려다보고는
오늘의 노을이 얼마나 예쁠지
기다려졌다.

강아지 한 마리가 내 따라가는 발걸음 소리에 뒤를 돌아보았
다. 눈이 마주친 채로 우리는 잠시 동안 아무 말 않고 가만히
서 있었다. 내가 씩 웃고, 녀석이 그냥 다시 돌아서 가던 길을
걷는다. 그 살랑이는 꼬리를 따라서 나도 다시 걸음을 옮긴다.

먼저 식사를 끝낸 이들이 아랑곳 않고 담배를 피웠다. 눈이 늙은 할아버지가 어서 오라며 반겨주었다. 낯설어하는 내 앞에

내려놓은 갓 지은 따뜻한 밥 한 공기, 그리고 와줘서 고맙다는
정겨운 인사말.

화병보다는 편의점에서 사 마신 유리병이 좋겠다. 깨끗하게
헹군 후 근처 화원에서 산 꽃을 한 송이 툭 꽂아 놔야지. 꽃은
채 피지 않은 몽우리가 좋아. 꽃봉오리가 터지고, 며칠 내내
예쁘다 이내 시들고. 아, 그때까지 여기에 머물고 싶다.

도착하자마자 캐리어를 내려놓고 강으로 향했다. 가서는 어깨, 가슴, 손까지 쫙 피고 크게 숨을 들이마신 뒤 "会いたかっ
た。(보고 싶었어.)" 하고 말했다. 공기, 바람 소리, 계절이 내는 냄새까지도 모두 손 안에 가득 담아 오래오래 간직하고 싶은 날들.

———

어쩌면 한 번쯤 스쳤을지도 모르겠다. 길을 걷다가 문득 여기에 당신이 있을지도 모른다는 생각이 들었다. 실체도 없는 상상을 지나치기 위해 힘껏 걸음을 재촉했다.

마음의 종류가 그립다거나 보고 싶다는 게 전부라면 생은 얼마나 더 불행할까, 보고 싶어도 볼 수 없으니까 만날 수 있는 날이 온다면 나는 조금 행복해질 것 같다.

실려 보낼 수 있다면 무엇이든 괜찮다. 찰랑이는 파도, 아니면 깊이를 가늠하기 어려운 시커먼 바다, 잠깐 머물렀다 금세 떠나는 열차의 뒷모습.

───

"봄에 교토에 갈 거야." 그가 말했다. 꽃잎이 흐드러진 거리에서 그와 걷고 있는 상상을 했다. 나는 봄바람 위에 살포시 '会いたかった。(보고 싶었어.)'라고 불어 보내도 괜찮을까.

───────

커피를 '코-히-'라고 부르는 약간 힘이 빠진 듯한 발음이 좋다. 갓 구운 빵을 한 입 베어 먹고, 금방 내린 커피로 살짝 목을 축였다. 입속으로 삼키는 따뜻한 아침 내음.

———

계절의 색이 가장 짙은 때는 5월이나 6월 즈음이다. 봄에 싹을 틔운 나무에 잎사귀가 풍성해지고, 여름을 기다리는 초록이 무성하게 붐빈다. 적당히 기분 좋은 바람이 살랑이는, 꽃 하나 피지 않아도 가장 아름다운 나날들.

아른거리는 햇살은 노란색, 녹색, 흰색이 뒤섞여 있다. 바람이
불 때마다 색색으로 일렁인다. 파랗기도 하고, 빨갛기도 하다.
만약 그림을 그릴 수 있다면 내가 좋아하는 모든 색을 햇살 위
에 칠할 텐데.

생에서 가장 간절하게 기다리는 것은 늘 하나뿐이다. 조금 더 따뜻한 계절이기를, 그리고 상냥한 그 계절이 곳곳에 만연한 거리 속에서 내가 걷고 있기를.

———

시간이 무성의하고 무심하게, 그리고 무덤덤하게 흐르거나
사라졌다.

———

두려움을 어째서 막연하다고 표현하는지 조금 알 것도 같다.
끝이 보이지 않는 이곳에서, 등불도 버팀목도 없이 혼자서 걸
어 나간다. 모두 다 지나갈 수 있다는 걸 알아 속도나 힘에 개
의치 않고, 걸어간다. 아무렇게나.

고개를 돌리니 창문 바깥으로 새파란 하늘이 내려다보였다.
눈이 시릴 만큼 파란색. 그러니 잠깐 붉어지는 마음은, 또 눈
은 단지 하늘이 눈부셔서 그런 걸로 해야지. 이런 순간에 이런
하늘이 곁에 있어서 다행이다. 정말로 다행이니 나는 잠깐만
눈을 감고 있기로 했다.

내게 주어진 일은 성취보다 체념의 것이 더 많았다. 그럴 때마다 바다가 그리웠다. 너는 내 가까이 다가오기도 하고, 더 멀리 사라지기도 한다. 하지만 언제든 다시 또 성큼 다가온다. 네가 보고 싶다, 바다에 가고 싶다.

언젠가 당신을 교토에 데려가고 싶어. 서툴지만 당신은 알아
채지 못할 외국어로 말을 하고, 능숙하게 길을 찾고, 거리의
이야기를 듣게 될 거야. 내가 재잘재잘 떠들면 웃어줘, 아주
많이. 행복한 얼굴로 손을 잡고 걸어줘.

———

코트는 겨울에 입기엔 조금 얇고 가을에 입기엔 조금 두꺼웠다. 단풍이 한창인 계절이었다. 낮에는 햇살이 좋아서 고개를 들고 다녔고, 밤에는 바람이 차가워서 어깨를 움츠렸다. 애매한 계절은 싫어할 새도 좋아할 새도 없이 순식간에 지나간다.

여름은 구름만 뒤룩뒤룩 살찌는 계절이다. 살집 좋은 아기처럼 몰캉몰캉해 보인다. 몸에 닿는 태양빛이 나만큼이나 싫은지 구름은 해를 한 번 가리지도 않고 멀리로 떠다닌다. 나는 손차양을 하고 구름을 올려다본다. 뜨거운 오후였다.

———

펜과 노트를 들고 나온 날에는 뭐든 적었다. 셔츠를 말끔하게
입은 남자가 어디론가 가고 있었다. 내가 좋아하는 베이지색
카디건을 입은 할머니가 걸음을 재촉했다. 자전거가 지나갔다.
그러다 어느샌가 당신에게 편지를 적고 있었다. 내가 머물고
있는 이곳에 대해, 그리고 당신이 얼마나 그리운지에 대해.

긴 여행을 앞두고 편지지를 가방 속에 챙기기로 했다. 생각이
나는 모든 이에게 글을 적어 보내고 싶다. 봄 여행을 기다리고
있다. 편지와 함께 벚꽃잎을 하나씩 담아 봉투를 접고, 모든
순간의 아름다운 기억들을 나눠주어야지.

사랑이나 여행이나 다 거기서 거기인 일이다. 그리워하고, 머무는 내내 헤매고, 돌아설 때는 서운해진다. 혼자인 날에는 더 자주 비행기를 탔다. 좋아한다는 말도, 보고 싶었다는 말도, 들려줄 사람이 없는 날에는 어디로든 떠나고 나서야 말을 꺼냈다. 보고 싶었어, 너를 정말 좋아해.

길 끝은 그대로 숲으로 이어졌다. 키가 큰 나무가 켜켜이 서
있었다. 하도 높아서 끝까지 올려다보려다 뒷걸음질을 치며

뒤뚱거렸다. 바람이 불 때마다 가는 가지들이 흔들리며 부딪
쳤다. 오늘 또 정다운 숲의 목소리가 들린다.

———

사랑을 하는 계절에는 날이 흐려도 그게 싫지만은 않았다. 방
울방울, 우산 위로 옹기종기 모여 앉아 있는, 손끝에 닿는 촉
촉한 빗방울이 꼭 내 마음이랑 닮았다.

———

'어떤 날'이라는 단어가 좋아. 기억 속 어느 순간이라도 이름
을 지어 부르면 꿈속처럼 아른거리고 따뜻하게 떠오르는 그
'어떤 날'.

좋아하는 것들은 어쩐지 전부 닮아 있다. 사각사각 부딪치는
이파리, 옹기종기 모여 있는 낮은 집들, 땅에 길게 내려앉은
오후의 햇살, 그리고 당신의 웃는 얼굴.

식재료 사 오기, 화병에 꽃 꽂아 놓기, 목적지 없이 걷기, 매일 같은 카페에서 아침을 시작하기, 좋아하는 가게의 모든 메뉴를 먹어보기, 비가 와도 서운해하지 않기, 늦잠 자기.

긴 여행 속에서 내가 꿈꾸는 것들.

‘이방인’이나 ‘여행자’로 불리는 삶을 좋아한다. 언제까지나 낯
선 게 좋다. 길은 익숙해지는 것보다 헤매는 일이 더 즐겁다.
매번 똑같은 곳에 멈춰서서 사진을 찍지만, 언제라도 처음 보
는 듯이 두근거리면 좋겠다.

당신이 어두운 밤길을 걸을 때 등불이 되어주고 싶다는 촌스러운 생각을 해본 적이 있다. 그러다 문득 주변을 둘러보니 나의 밤은 온통 어둠뿐이었다. 앞이 잘 보이지 않는 칠흑같이 컴컴한 밤.

마음의 무게가 얼만큼이었는지
바다가 알고 있다면,
바다만 알고 있다면.

바깥이 온통 햇빛이랑 초록
뿐인 문 앞에 도착할 때까지,
계속 눈 감고 있고 싶다.

'나는 언제까지 이 날들을 선명하게 기억할 수 있을까.' 하는
생각을 떠올리자 어쩐지 조금 서글펐던 오늘.

———

이 날들이 모두 글이 된다면, 나는 어떤 문장으로 매일을
설명할 수 있을까.

———

살아가는 동안 다양한 색을 만나게 된다. 지금 곁에 머무는
색은, 아직 연하게 일렁이는 어린 연둣빛.

———

봄이나 오후의 햇살에 관한 글을 읽을 때, 이 순간을
몇 번이고 떠올리게 될 것 같다.

───────

오늘을 담은 커다란 액자를 선물하고 싶다.

어디에 있더라도 모두 같은 달을 보고 있다는 게 문득
낭만적이라고 생각한 밤.

———

걸음은 서두르지 않는 편이 좋다. 내가 한 발자국 가볍게 내밀 때 옆에 있는 사람도 사뿐– 하고 한 걸음. 그렇게 오래오래 많이 걷는 일이, 역시 좋다.

———

단지 조금 멀리 떨어져 있다는 사실만으로
그리운 마음을 전하는 일이 쉬워진다.
보고 싶고, 만나고 싶고, 목소리 듣고 싶다.

—

푸릇한 색이 점점 진해지는 시간들, 무럭무럭 자라라고 따뜻하게 비춰주는 오후의 햇살. 기록할 수 있어서 다행이다.

꽃 그림 그려진 팔랑팔랑 가벼운 치마도 준비했어요.

역시, 봄에는 '만나자.'라는 말이 좋아요.

계절이 변하는 걸 보고 있으니 어떤 일도 다 무탈하게
지나갈 거라는 생각이 든다, 새삼스럽게.

따뜻하다, 다정하다, 정답다.
좋아하는 단어의 취향.

———

어디든 낯선 곳으로 떠나는 일을 두려워하지 않기.

———

지금 가장 간절하게 기다리는 것은 조금 더 따뜻한 계절이기를. 상냥한 그 계절의 한가운데 내가, 그리고 당신이 있기를.

시작의 문장만큼이나 끝맺음의 단어 또한 아름답다.

내가 잠이 들 무렵, 좋은 하루를 보내라는 말을 전했다. 그 사실 하나로도 나는 곁에서 멀어진 거리감에 서먹했다. 여행이 만들어주는 그리움의 무게는 우리가 같은 낮과 밤을 보낼 때보다 훨씬 더 짙고 무겁다.

내가 거리의 꽃 한 송이, 자전거와 간판까지 좋아하는 것은 당
신의 사소한 습관, 기분 좋을 때의 목소리, 그리고 손길이 닿
은 모든 것을 사랑하는 것과 같은 이유다.

당신을 좋아한다는 말을
달이 참 아름답다는 말로 대신 전하는,
그런 낭만.

북적이던 길이 조용해진 풍경을 바라보는 게 좋아서,
낯선 곳에 갈 때면 조금 일찍 일어나 걷는 습관이 있다.

기록이 주는 안도는 생각보다 더 커다랗다. 시간이 지나도
색이 바래지 않는 사진 속에 담겨 있어서, 언제든 손으로
만질 수 있는 종이에 적어 두어서 다행이다. 정말 다행이다.

———

날씨나 계절, 하늘이나 강이 가진 모든 색을 서두르지 않고
천천히 볼 수 있는 지금.

꿈일까 싶어서 눈을 오래 끔뻑이거나 손을 휘휘 저어보는
순간이 있다. 만약 정말 꿈이라면 오늘 길을 걷다가 우연히
당신과 마주치면 좋겠다.

'보여주고 싶다거나 같이 보고 싶다는 마음이 이런 거였구나.'
생각하게 된다.

'내가 나중에 여길 또 올 수 있을까?' 말고 '나는 분명 다시
이곳에 있을 것'이라는 생각이 들었다.